© Editions Fleurus 1990
Dépôt légal avril 1990 - N° d'édition 89064
Imprimé en Italie

VIVE LA LECTURE

l'histoire est vraie

# Papa n'aime pas les chats

Texte :
Claude Clément

Images :
Nadine Soubrouillard

FLEURUS
ENFANTS

ÉDITIONS FLEURUS, 11, rue Duguay-Trouin 75006 PARIS

Lola, Maman et moi, nous avions eu beau essayer d'attendrir Papa en lui montrant des photos de petits chats sur les calendriers de la nouvelle année, il avait fermement décrété :
— Il n'y aura jamais la moindre bête

dans cet appartement ! Une femme artiste-peintre, deux filles et un garçon, ça met suffisamment de bazar !

Maman avait répondu que le bazar, c'était presque toujours elle qui le rangeait, mais Papa n'avait pas changé d'avis. Il avait même ajouté :

— Si nous habitions la campagne, je ne dis pas que je ne me laisserais pas tenter par un chien... mais les chats, je n'aime pas ça !

Et nous en étions restés là.

L'appartement était plein de tableaux de Maman, de jouets, de cousins et de copains, mais il restait désespérément vide d'animaux, car Papa demeurait inflexible.

Alors, Lola, mon frère Tommy et moi,
nous avons tenu conseil un soir dans
notre chambre. Lola a dit :
— Lorsqu'on est écrasé par la loi du
plus fort, il faut savoir employer
la ruse !

Tommy était d'accord sur le principe, car il avait vu beaucoup de westerns à la télévision. Mais il trouvait que déterrer la hache de guerre pour un chat, ça n'en valait pas la peine. Lui, ce qui l'intéressait, c'était d'élever un python géant ou d'apprivoiser un alligator, sinon il ne trouvait pas l'expérience très passionnante. Mais Lola était obstinée et, avant que je n'aie pu donner mon avis, elle a décidé avec autant d'autorité que Papa :

—Commençons par lui faire accepter un poisson rouge ! Pour le reste, on verra plus tard...

Le lendemain, Lola est rentrée de l'école avec un petit poisson qui faisait des bulles dans un sac en plastique. Sa copine Sonia le lui avait échangé contre une

poupée-mannequin. Maman lui a fait remarquer que ce n'était pas une très bonne affaire, car la poupée-mannequin valait beaucoup plus cher que le poisson. Mais nous étions si contentes, Lola et moi, qu'elle a fini par aller acheter un bocal et une petite boîte d'aliments spéciaux pour poissons.

Lorsque le poisson a pu commencer à frétiller à son aise, Maman, Lola et moi, nous nous sommes demandé comment nous allions l'appeler. Tommy, lui, il s'en fichait parce qu'en dehors des noms de pythons et d'alligators, il n'avait pas tellement d'idées. Alors, nous l'avons baptisé Arthur, parce que c'était le premier nom qui nous passait par la tête et qu'il commençait par la première lettre de l'alphabet.

Lorsque Papa est rentré du bureau et qu'il a vu le poisson sur le buffet de la salle à manger, j'ai cru qu'il allait exploser.

Mais Maman avait prévu le coup :
elle avait invité Oncle Jean-Mi à
dîner et à regarder un match de foot
à la télévision. Alors, Papa s'est
retenu et s'est contenté de
ronchonner en disant qu'à la fin du
repas, il jetterait le poisson dans les
cabinets et qu'il tirerait la chasse
d'eau !

J'avais tellement peur pour Arthur que je n'ai presque rien mangé, d'autant plus que Maman n'avait rien trouvé de mieux que de nous faire un plat de poisson ! Afin de me rassurer, Lola m'a chuchoté qu'Arthur ne risquerait rien dans les cabinets puisqu'il savait nager ! Il s'en irait par les tuyaux rejoindre la rivière où il était né...

En fin de compte, quand le match de foot s'est terminé, Papa était si content de la victoire de son équipe préférée qu'il a complètement oublié Arthur. Celui-ci a pu continuer à vivre en paix dans son bocal, sur le buffet de la salle à manger.

Peu de temps après, Lola est revenue de la kermesse de l'école avec un adorable petit lapin gris qu'elle avait gagné à la loterie. Cette fois, Maman n'avait pas eu le temps de prendre la précaution d'inviter Oncle Jean-Mi. De toute façon, il n'y avait pas de match à la télévision... Et Papa a piqué une colère énorme.

Il a hurlé que ce genre de lapin-là, c'était fait pour vivre en liberté ou pour finir en civet ou en pâté. Lola, Tommy et moi, nous étions terrorisés ! Alors, Maman est allée chercher un grand couteau de cuisine. Elle l'a tendu à Papa en disant d'un ton très froid :

— Eh bien, tue-le ! Tue-le donc toi-même...

21

Depuis ce jour, Papa a décrété qu'il n'aimait ni le civet ni le pâté de lapin. Maman a acheté une cage à hamsters. Nous avons baptisé notre lapin Prosper et il a vécu sur le balcon pendant pas mal de temps.

Il mangeait sans arrêt et il a tellement grossi que la cage à hamsters est devenue vite trop petite. Alors, Maman nous a convaincus qu'il valait mieux emmener Prosper chez Grand-Mère, où il prendrait une retraite bien méritée, à la campagne, comme tous les lapins qui n'étaient pas spécialement faits pour vivre en appartement.

Et la vie a repris son cours... Le jour de l'anniversaire de Papa, Maman a invité Oncle Jean-Mi, mais aussi mes cousins, Tante Annick et mon parrain Rudo, qui est artiste-peintre comme Maman. Celle-ci avait fait un gâteau tellement extraordinaire qu'il ressemblait à une sculpture moderne.

Papa a dit que c'était dommage de couper une telle œuvre d'art, mais il a tout de même soufflé les bougies et nous avons pu nous régaler... Au moment des cadeaux, Lola a mis sur la table un énorme paquet orné d'un superbe nœud rose. Ce qui m'intriguait, c'est que ce paquet magnifique était plein de petits trous... Quand Papa a défait le nœud, le paquet s'est ouvert d'un seul coup et un minuscule chaton noir et blanc a bondi sur la table.

Papa a poussé un tel cri que la pauvre bête, effrayée, est allée se réfugier sous le piano. Tout le monde s'est mis à plat ventre pour la faire sortir de là. Oncle Jean-Mi, armé d'un balai, essayait de la déloger tandis que Tante Annick faisait « Miaou ! Miaou ! », histoire d'entamer le dialogue. Maman a mis des soucoupes pleines de lait sur la moquette du salon pour l'attirer, mais Tommy et mes cousins ont marché dedans sans le faire exprès.

Parrain Rudo riait très fort. Je ne l'avais jamais vu comme ça ! C'était très impressionnant, car il a une très grosse voix. Malheureusement, ça devait faire peur au chat, qui semblait avoir décidé de passer sa vie entière sous le piano de Papa.

30

Alors, Papa n'a rien trouvé de mieux que de s'asseoir à son instrument et de se mettre à jouer comme un forcené en chantant : « Non ! Non ! Non ! Il n'y aura jamais de chat dans cette maison ! » Et il a repris son refrain autant de fois qu'il le fallait pour déloger le pauvre animal !

Affolé par tout ce vacarme, le chaton est sorti de sa cachette pour grimper aux rideaux et se réfugier sur le dessus de la bibliothèque où Maman avait entassé les tableaux qu'elle comptait exposer bientôt dans une galerie. Cette fois, c'est Maman qui s'est mise à crier :

— Ça suffit comme ça ! Je veux le silence absolu jusqu'à ce que ce petit chat soit descendu de là !

Et nous avons passé tout le reste de la soirée aussi muets qu'Arthur dans son bocal, à attendre que cet animal impressionnable veuille bien revenir à table avec nous. Mais il n'a pas changé d'avis sur notre famille, qui lui semblait sans doute trop turbulente.

36

Oncle Jean-Mi, Tante Annick et mes cousins sont repartis chez eux en chuchotant. Parrain Rudo, qui séjournait à la maison, s'est allongé sur le canapé du salon et nous, nous sommes allés nous coucher sur la pointe des pieds, sans faire de bruit...

Le lendemain matin, Parrain Rudo nous a appris que le petit chat était venu dormir sur la couette de son canapé-lit et qu'après l'avoir observé, il pouvait dire sans trop risquer de se tromper que ce petit chat-là était en fait une petite chatte.

Papa a failli se remettre à hurler.
Mais comme il ne voulait pas
recommencer la sarabande de la
veille, il s'est contenté de chuchoter
d'un ton furieux :

— C'est le bouquet ! Comme ça,
dans quelque temps, quand elle
deviendra maman, nous serons
envahis de chatons et nous ne
saurons plus qu'en faire !

Tommy a bien essayé de le rassurer en lui disant que, lorsqu'il serait grand, il aurait un magasin de pythons et d'alligators et qu'il pourrait aménager un rayon spécial chats...
Papa était trop désespéré pour l'écouter.

Les semaines ont passé... Nous avons baptisé notre petite chatte Sissi. Chaque fois que Papa rentrait du bureau et qu'il s'asseyait pour regarder les informations à la télé, elle se précipitait pour lui faire un câlin. Elle se nichait sur ses genoux, parfois sur son épaule... Elle a même fini par lui mettre les pattes autour du cou et par frotter son museau contre sa joue comme pour lui faire des bisous !

Papa prétend toujours détester les chats mais nous, chaque soir, cachés derrière le canapé, nous savons bien que ce n'est plus vrai du tout !

45

# LES AS-TU LUS ?

C'est l'histoire mouvementée d'un mercredi pas comme les autres vécu par une maman qui a trois enfants, un mari et un chat ! Au moment de partir pour son bureau, elle se rend compte que sa petite fille est malade...

Un matin, sur le chemin de l'école, Thomas dit bonjour à son professeur, qui passe sur sa Mobylette. Le professeur tourne la tête pour saluer Thomas, pendant que le facteur arrive en sens inverse sur son vélo... C'est l'accident inévitable. Mais la journée n'est pas finie...

Tout a commencé le jour où Anita et son papa sont allés ensemble à la piscine. Anita a eu le malheur de dire à son copain Martial que son papa était gros. Bien sûr son papa l'a entendue, bien sûr il s'est fâché et il a décidé de faire le soir même un régime très sévère en obligeant Anita et sa maman à le suivre...

Un dimanche matin, les parents d'Antoine décident d'aller déjeuner au restaurant. Quand on a deux enfants, un bébé, plus le petit copain des enfants, c'est dur de se mettre tous d'accord. Toute la famille se retrouve dans une petite auberge. Mais le déjeuner ne va pas vraiment se passer tranquillement...